KB063146

항상, 더 연락해야지, 더 잘해야지, 마음 먹으면서도 엄마에게 못 하는 우리 모습이 떠오릅니다. 올해부터는 책을 더 많이 읽어야지, 더 똑똑해져야지, 결심 하는 _____님께 엄마 같은 책을 드립니다.

사적인사과지적인수박

불효자의 불끄기 대작전

무딘 아들의 속성 불효 탈출 어리광, 불효 에세이

제0판 0쇄 2023년 06월 (10부) 냉장서고 북토크

제1판 1쇄 2023년 09월 (400부)

지 은 이 mopo

S N S instagram @100mopo

디 자 인 이태원댄싱머신

펴 낸 곳 사적인사과지적인수박

등 록 번 호 제25100-2018-000040호

등 록 우 편 hello@watermelonbook.com

S N S instagram @watermelonbookdance

I S B N 979-11-93333-00-6

판   형 113 * 188 * 6.6 mm

쪽   수 134쪽

내   지 미색모조 80g

표   지 반누보 227g (코팅안함)

출판사의 말

사적인사과지적인수박

작은 핸드백에 쏘옥 들어가지 않으면 책이 아니다.
벽돌이다.

위 문장을 출판사의 모토로 삼고 있다. 책은 작고 얇아야 한다. 작고 얇은 종이 뭉치에 매력적인 글을 담으면 책이 된다.

매력은 조합의 영역이다. 색감의 조합으로 그림이 탄생하고 음표의 조합으로 음악이 만들어진다. 그 조합이 어떻게 구성되느냐에 따라 매력은 커지고 작아진다. 너무 자연스러워서 생기는 정갈한 매력이 있고, 반대로 어색함에서 오는 생경한 매력이 있다.

mopo 작가의 매력은 형식과 내용의 어색한 조합에서 온다. 연애라는 가벼운 주제를 논문 쓰듯이 구성한 책 「연애는 다음 생에」 는 진지한 얼굴로 피식하게 된다. 이 책도 비슷하다. 엄마라는 신파적인 소재를 가지고 통명스럽게 유머를 던지는 책 「불효자의 불끄기 대작전」은 무표정한 얼굴로 피식하게 된다.

표절 소설 「엄마를 부탁해」는 독자에게 울어라 울어라 주문을 외며 눈물을 짜낸다. 그렇게 200만 부를 팔았다. 불황에는 뻔한 신파가 잘 팔린다. 희생하고 헌신하는 어머니를 떠올리며 위로받고 싶은 심리가 있다. IMF 금융위기 때 소설 「아버지」가 베스트셀러에 오른 것도 비슷한 맥락이다(이건 표절 아니다). 그러니까 우리도 그 바람에 편승하고 싶다는 뜻이다.

134쪽의 종이 뭉치를 책으로 만들어준 작가에게 감사를 표한다.

편집자의 말

이태원댄싱머신

당신이 세상에 남긴 나
당신이 내게 남긴 세상

작가가 직접 만들어서 어머니에게 선물한 책의 표지에는 「당신이 세상에 남긴 나 당신이 내게 남긴 세상'이라는 난해한 제목이 적혀있었다. 난해한 제목의 책 중에는 명작이 많다. 박민규의 「죽은 왕녀를 위한 파반느」, 무라카미 하루키의 「색채가 없는 다자키 쓰쿠루와 그가 순례를 떠난 해」 그리고 얀 마텔의 「헬싱키 로카마티오 일가 이면의 사실들」까지. 하나 같이 손을 뻗기 어려운 제목이지만, 이 책에는 손을 뻗었다.

보통 어머니에 대한 이야기는 기어코 눈물을 쏟게 만들고 끝이 난다. 휴지를 한 뭉치 움켜쥐고 읽는데, 미소만 짓게 된다. 눈물 없이 볼 수 있는 유일한 어머니 에세이였다. 감동적인 장면도 더러 나오지만, 경쾌

하고 능청스러운 문체가 지배적이다. 이렇게 담담하고 건조한 문체로 웃길 수 있다니. 당장 내가 출판하겠다고 외쳤다. 작가는 망설였다. 어머니에게 선물로 드린 거라 이야기를 해야한다고. 급하다고 빨리 달라고 현기증 날 것 같다고 졸랐다. 그렇게 원고를 받아놓고 일년을 묵혔다.

정신을 차리고 나서 작가에게 처음 한 제안은 제목을 바꾸자는 거였다. 작가가, 책 내용은 거의 '불효자의 불끄기 대작전' 같은데요? 헤헤헤, 라고 말했는데, 눈이 번쩍 떠졌다. 지금 헤헤헤 거리고 있을 때가 아니었다.

작가님, 웃지 마세요. 지금 진지합니다. 방금 말씀하신 그 제목 좋아요. 진짜, 너무, 엄청요. 작가는 고개를 끄덕였지만 갸웃거리는 것 같기도 했다.

설마 이걸 제목으로 정할 리는 없다고 생각했는지, 작가는 자꾸 새로운 제목을 제안했다. 나도 듣는 둥 마는 둥 적당히 대꾸했다.

불효자는 씁니다.

불효자의 효도법

불효자의 물뿌리기

불효자의 불끄기 글쓰기

불효자는 글쓰기로 불끄기

이런 아들이라서 미안합니다.

나도 아들은 처음이라 (하지만 난 둘째 아들)

무딘 아들의 속성 불효 탈출 기억여행

불끄기를 시도했으나 오히려 활활 타버린, 불효 에세이

연애도 냉장시킨 작가답게 엄마도 냉동해버리는 에세이

엄마에 관한 기억을 되짚으며 이제 한번 따뜻해지려다 그만

조절하지 못하고 불타버린 불효에세이

평소의 불효로 모자라 불효를 박제하는 불효에세이

하나 같이 다 좋았다. 하지만 첫인상은 이길 수 없는 법. 처음 들은 제목이 머리에서 떠나지 않았다. 작가의 저항에도 불구하고, 결국 책 제목은 「불효자의 불끄기 대작전」이 되었다.

시간이 지나고 이번에는 무슨 바람이 불었는지, 서점 이름을 고민한다고 했다. 우리도 서점 「회전문서재」의 이름을 지을 때 다양한 문제를 고려했다. 발음도 줄임말도 의미도 생각하고, 기억하기 좋은데 유

일무이 해야하고, 로고를 만들었을 때는 어떻지 SNS 상에서는 어떻게 보일지도 같이 고민해야 한다. 오랜 시간 생각했지만 그냥 「회전문서재」의 느낌이 좋아서 선택했다.

mopo 작가는 일단 '냉장서고'라는 이름이 떠오르긴 했는데 어디까지나 차선책이라며 더 좋은 서점명을 찾는 중이라고 했다. 나는 바로 맘에 들었다. 아이디어를 요청하니까 하나마나 한 아이디어를 몇 개 던지긴 했으나, 역시 이번에도 처음 들은 제목이 머리에서 떠나지 않았다. 냉장서고. 시원한 냉장고 같으면서 책이 있는 서고 느낌도 있고, 네 글자가 디자인적으로도 좋다. 결국 서점 이름은 「냉장서고」로 결정되었다.

「냉장서고」의 서고지기 mopo 작가의 「불효자의 불끄기 대작전」을 소개한다. 책에 대한 독자의 첫인상이 어떨지 궁금하다. 책을 덮을 때는 또 어떨지 궁금하다.

작가의 말

mopo

왜 썼던가.

내가 꾸준히 써온 일기 같은 글을 다시 모아 보니 엄마와 관련된 에피소드가 많았다.

처음엔 SNS에 올리던 에피소드들을 모았다가 어린 시절부터 쌓아온 여러 기억도 한번 정리해 보고 싶었다.

글을 다듬다 보니 나와 엄마의 관계에 관해 깊이 생각해 보게 되었다. 내가 처음 태어나고 몇 개월은 엄마에게 먼저 있다가, 엄마가 내게 세상을 소개 해주는 날 비로소 나도 지금 이 세상을 만났다. 그럼 사실 나의 첫 세상은 엄마의 심장 소리와 온기로 가득했을 거다. 기억하지 못하더라도 본능에 새겨진 그 순간으로부터 나는 존재했다. 우리가 본능적으로 늘 엄마를 찾는 이유일지도 모른다.

엄마가 세상에 나를 낳은 것은 나에게는 하나의 세상을 선물해준 것이다.

세상이라는 선물을 받았는데 어떻게 갚을 방법이 없어서 그냥 이렇게 얄팍한 글이나마 만들어 보려 한다. 긴 과거를 여기에 다 담진 못했지만 잠깐 쉼표처럼 한번 정리를 해보려 한다.

아무튼, 앞으로도 오래오래 행복하게 살자.

PS. 사투리는 최대한 발음 그대로 표기하였다.
PS+ 엄마와의 사적인 이야기들은 엄마의 명예와 관련된 문제가 발생할지도 모른다. 그래서 이 지면을 빌려 미리 밝혀야겠다.

우선 사과의 말

어릴 땐 그저
늘 곁에 있었던
당신의 존재가
그냥 당연했다.

스무 살이 넘어서
나도 한창 어른인 척 할때는
괜히 내가 당신을 깊이 생각해 주는 척을 하며
이제부턴 당신의 인생을 살라고 말했었다.

그런데 서른이 넘고 알았다,
당신의 인생이 곧 우리 가족이라는 걸.
그래서 나는 너무 고맙고 미안해.

차례

엄마는
단호박

11월 어느 날이었다.

자려고 침대에 누웠다가 아직 잠들지 못했을 때의 일이다.

내 방에 누군가 쓱 들어온 인기척이 났다. 바닥에 붙는 발걸음 소리가 조금 묵직한 게 아빠였다. 뭔가를 뒤적였고 쓱 다시 나가셨다. 그러고는 엄마에 게 뭔가를 물으시니 이내 엄마가 큰 소리로 놀라며 답을 하신다.

"어데 저게 받았겠나, 사묵는 기다"

응? 무슨 소리지?

이번엔 조금 작은 발자국이 내 방안을 쓱 들어왔다 나간다.

"맞네, 좀 많네. 받은 건 아닐낀데"

휴지통 속에 먹고 버린 **빼빼로** 통과 아직 뜯지 않은 책상 위 **빼빼로**를 합산한 결과를 말씀하신다.

"즈기 어데 받을 데는 없을 건데, 가르치던 애들한테 받은 기가"

뭔가, 가장 당연히 **빼빼로**를 주는 사이인 어떠한 존재에 대해서는 결단코 부정하시며 여러 다른 가능성을 쥐어 짜내신다.

원래 우리 엄마는 아닌 건 절대 아닌 냉정한 분이시다. 아들내미의 현실에 대해서도 냉철한 판단을 내리고 정확한 분석을 제시한다.

나는 잠들지 않은 채 다 듣고 있었지만 차마 일어나지 못한 채 반박보단 잠든 척을 택하고 이불 속에서 좀 더 몸을 웅크리고 흐느끼고 싶었다.

엄마표

펀치라인*

*펀치라인 : 웃음을 빵빵 터뜨리는 결정적인 대사를 펀치
라인이라고 한다. 연극의 마지막을 유쾌하게 장식하는
서사적인 구조를 뜻하기도 한다. 서서히 분위기를 쌓아
가다가 빵 터뜨리는 식이다. 요즘엔 힙합에서 많이 쓰인
다. 가장 유명한 작가는 타블로.
'이 땅의 법이 출석부라면 나 결석하리.'
검사 출신 대통령이 빵 터뜨릴 펀치라인이다. (편집자)

저녁을 먹지 않고 늦게 들어가는 길에 엄마에게 전화했다. 자다 일어난 목소리로 이미 저녁을 먹은 후 한숨 자고 있었다고 하신다. 뭘 좀 사 갈지 물으니 배를 깎아 드시고 있다는 답을 하셨다. 방금 자고 있다고 하시면서 동시에 배를 먹고 있다는 혼란스러운 이야기. 무슨 소리냐 되물으니 저녁을 좀 많이 먹었더니 배가 너무 불러서 방금 자다가, 목이 말라 잠을 깨서 지금 배를 깎아 드신단다.

배가 불러서 배를 깎아 먹는 엄청난 펀치 라인.

엄마의 클래스에 다시 한번 리스펙했다. 역시 나를 낳은 우리 엄마가 맞다. 그러면서 너 뭐 먹을걸 사 올 거라면 순대를 사오라고 콕 집어 말씀하셔서 분식집으로 발길을 돌렸다.

순삭

하루는 집에 와서 입이 심심하던 차에 과자 한 봉지가 눈에 보였다.

부드러운 고구마 맛 과자.

큰 봉지라서 좀 부담스러웠으나 그냥 맛만 보고 다시 묶어두면 되겠거니 싶었다. 그래서 뜯고 한입 두입 먹다가 TV 드라마를 보고 있던 엄마에게 먹으라고 권했더니 처음엔 한사코 손사래를 치며 거절하셨지만, 우리 엄마가 아닌가. 이내 슬쩍 드시기 시작하셨고 나는 몇 조각만 먹은 후 샤워를 하고 나왔더니 엄마가 역정을 내신다.

입안이 다 헐었다고.

그새 그 큰 봉지를 다 드셨다. 지퍼가 없어서 닫을 수 없었기 때문이라 덧붙이시며.

엄마는
위대해

집에 갔더니 엄마는 웬일로 피자와 치킨을 사 오셨
다.

별로 배고프지 않아서 몇 조각씩만 먹다가 옆에 옥수
수 샐러드가 있어서 뜯어 먹으려니 엄마는 내게 '옥수
수 묵지 마라. 그거 살 잘 찐다더라.' 라고 말리셨다.
피자와 치킨을 먹는 내가 옥수수 먹고 더 살찔까 봐
걱정하신다.

역시 엄마는 위대하다.

엄마 말씀

잘 듣자

호떡 믹스 제품을 사 와서 조리에 도전했다. 엄마가 밀가루 음식을 좋아하기 때문에 가장 비슷하게 만들 수 있는 것을 골라봤다.

"니는 호떡은 안 만들고 똥을 싸놨노"

내가 망친 반죽 덩어리를 보고 엄마께서 하신 말씀.

"다음부터는 그냥 사무라. 이천 원 주면 이거보다 더 맛있게 묵는다."

내가 망친 호떡을 되살리시며 하신 말씀.

"설날 때 뭐 해묵지?"라는 엄마의 말씀에 "이 호떡 다시 해묵자"라니까 "미친 지랄 안 하나"라고 다그치셨다. 결국 망친 반죽은 호떡 빵이 되었다. 그래도 맛은 있었다. 하지만 역시 간식은 사 먹는 게 최고다.

엄마 말씀을 잘 듣자.

몇 번을 불러도

돌아누워 잠자던 엄마는

TV에 임영웅이 나와서
노래를 부르자
벌떡 일어나셨다.

냉철한

평가

엄마는 자주 날 디스하신다.

예전에 TV프로에서 뚱뚱한 캐릭터의 자학 개그를 보고 웃으실 땐 번갈아 나(중에서 복부)를 바라보고 씨익 웃으시곤 했다. 또 드라마를 보다가 잘생긴 남자 배우를 보더니 몇 살 이냐고 물으셔서 내가 찾아보고 나이를 알려드리니

"어이구 나이 많네?
니보다 나이 많네?
어려 보이던 데"

본인이 만드시고도 냉철하시다.

외모지상주의

우리 엄마는 외모에 대한 기준이 대단히 확실한 편이다. 아들인 내게도 잘생겼단 말을 하신 적이 없다.

철저한 외모지상주의다. 잘생긴 남자 배우를 좋아하고, 못생긴 건 못생겼다고 똑 부러지게 말씀하신다.

심지어 어린아이를 보고도, 엄마의 눈에 안이뻐 보이는 아이를 보면 빈말로라도 이쁘다고 해줄 수 있는 그 거짓말을 절대 하지 않으신다. 조금 못난 아이를 보면 그냥 어금니를 깨물고 슬며시 웃고 있다. 절대로 이쁘다고 립서비스조차 해주질 않는다. 그리고 지나가고 나면 나한테 말씀하신다.

"애가 몬생깃다."

그래서 나는 걱정이다. 내가 결혼을 하고 아이를 낳았는데 나를 닮아 애가 못생겼을까 봐. 설마 자기 손주에게도 그러실까. 아들에도 냉철한 걸 보면 충분히 그러실 법하다. 내가 결혼을 못하고 있는건 엄마 탓이라 여겨본다.

갈*

앞서 말했듯, 엄마는 외모를 꽤 중히 여긴다. 어쩌면 나도 엄마를 닮았을지도 모른다.

엄마와 밥을 먹고 카페에 앉아 차를 마시며 수다를 떨고 있을 때였다. 엄마는 내게 '만나는 여자가 없느냐' 물으셨다. 그래서 나는 꽤 진지하게 '쉽게 만나지 못하고 있다'고 대답했다. '왜'냐고 묻는 엄마에게 다시 말했다. '아무나 만나고 있을 순 없다'고. 엄마가 '그래도 지금 나이면 결혼을 생각하면서 누군가를 만나 안정적인 게 낫지 않냐' 말씀하신다.

*갈 : 꾸짖을 갈(喝)

그래서 내가 되물었다. '엄마는 내가 어떤 사람을 만나면 좋을 것 같냐'고. 그러자 엄마는 진지하게 말씀하셨다. '착하면 된다. 다른 거 필요 없다'고.

그래서 나는 엄마를 놀릴 생각에 안 된다고 했다. 나는 '착하고 예쁜 여자를 만날 거다'라며 반박했다. 엄마는 어이가 없다는 듯이 마시던 음료를 탁 내려놓고 내게 말씀하셨다. '그런 여자를 만나기가 쉽냐'고.

나는 또 대꾸했다. 그래도 기왕이면 내가 좋아하고 만족할 상대를 만나야 행복하지 않겠냐고. 엄마가 그래도 내 편을 들어주길 바랐다. 하지만 엄마는 정색하며 내게 손가락질을 하시고는 말했다.

"니 주제를 알아라!"

엄마는

빼줘

TV 속 아침 프로그램에서 다이어트하는 코너가 있는데 거기서 다음에 나올 팀을 소개하는 문구가

'가족 셋이 합쳐 250kg인 집안'

헉.

순간 밥 먹던 엄마 아빠에게 우리 셋도 그렇지 않냐고 했다가 순식간에 몸무게 논란이 일어났다. 각자는 하도 자기 몸무게를 깎아댔기 때문에 치밀한 계산까지 해야 했고 결국 각자의 의견을 존중해서 250까지는 안되고 서울로 전입해 집에도 없던 형과 나와 아빠 셋이어야 250을 넘는 거로 결론지었다.

텔레비전 속 가족은 아마 셋 중에 아이나 여자 둘 정도 포함해서 250을 말하는 것일 거라고 하면서 말이다.

엄마의
복수

부모님과 함께 살던 대학시절 내가 말없이 외박을 자주 해서 그런지 몰라도 부모님께선 동반외박을 내게 알려주지 않고 나가셨다. 한창 짐 싸는 모습을 보고 어디 가느냐고 내가 물으면 엄마는 그제야 알려주곤 하셨다.

물론 그냥 '나간다'라고만 말씀하신다. 어디를 가는지 언제쯤 돌아오는지 내가 구체적으로 꼬치꼬치 캐물어야 간신히 답해주실 뿐이었다.

절을 다니셨던 엄마답게 나에게 업보를 알려주셨다

손바닥 안

나는 수염이 꽤 많이 자란다. 산적처럼 입과 턱을 둘러싸서 시커먼 수염이 외국인처럼 덮인다. 그래서 최근에는 작정하고 수염을 길러보았다. 거의 한 번도 자르지 않자 수염은 구레나룻부터 이어져 내려와 입을 둘러싸고 아래로 퇴계 이황 선생님을 향해가고 있었다.

그런데 엄마는 나의 수염을 싫어한다. 아들이 좀 단정하고 깔끔한 모습을 하고 있길 바라신다. 예전에도 비슷하게 입 주변에 '소'자 수염을 기른 적이 있었다. 그때 엄마는 내게 며칠간 볼 때마다 수염을 자르라고 했었고, 나는 완강히 거부했다. 수염을 자르라며 인상을 쓰는 엄마를 놀리는 재미도 한몫했다. 막내아들은 늙어도 엄마 앞에선 철부지니까.

며칠 후 아침, 저녁에 친척 어르신의 조문이 있다고 하셨다. 그래서 알았다고 옷을 챙기겠다 했더니 장례식장에 갈 땐 단정하게 해야 한다며 면도를 하라고 하셨다. 친척 어르신들이 많을 테니 혹시 안 좋게 보일까 봐 별수 없이 수염을 밀었다. 그리고 그날 저녁 검은 정장을 입으며 넥타이 때문에 엄마에게 물었다. 검은 넥타이가 없는데 안 해도 되냐고. 그러자 엄마는 그냥 너는 장례식을 가지 않아도 된다고, 아버지와 두 분이 다녀오겠다고 하시더니 나를 두고 그냥 가버리셨다.

그제야 깨달았다. 엄마는 나의 수염을 깎을 구실로 조문 이야기를 꺼내신 것이었다. 그래서 다시 수염을 기르고 있는 이번에는 기필코 엄마에게 당하지 않으리라 다짐했다.

집에 들러서 엄마를 만날 때마다 엄마는 항상 인상을 찌푸리며 수염 좀 자르라고 하신다. 하루는 치과를 갔다가 오는 길에 집에 들렀다. 치과의사가 진료를 끝내고 헝클어진 수염을 매만져 준 이야기를 우스갯소리로 엄마에게 해주니까 남사스럽다며 깎을 생각 없냐고 다시 물으셨다. 그래서 나는 절대 안 자를 거라고 다시 고집을 피웠다. 그러자 엄마는 호기심 어린 눈빛으로 질문을 던졌다.

"근데 니처럼 수염을 길게 기르면 난주 잘 안 짤리지 않나, 칼은 드나?"

수염을 계속 기르면 문제가 생기지 않냐는 엄마의 질문에 난 절대로 넘어가지 않으리라는 생각으로 확고한 대답을 했다.

"아이다. 털이 길면 더 잘 잘린다. 칼이 더 잘 든다."

대답을 들은 엄마는 표정 하나 안 바뀌고 내 말에 동조를 해주셨다.

"잘 짤리믄 짤라라."

순간 나는 완벽하게 걸려들었음을 깨달았다. 지나치게 논리적인 엄마의 유도신문은 일순간 내가 면도를 수용해야 할만큼의 혼란을 일으켰다. 내가 한 말을 내 가 실천해 보여야 하는 그런 상황.

이래서 자식은 부모님 손바닥 안이라고 하나 보다.

가족톡방이 울렸다.

(엄마)
여태껏 밀양와서 화투치서 오늘
첨 이겼다 야호~

부모님은 종종 화투를 치신다. 화투를 잘 치시는 아빠에게 항상 지던 엄마가 오늘 처음 이기셔서 자신의 기쁜 마음을 담은 승전보를 아빠도 함께 있는 가족 톡방에 올리셨다. 아빠는 곧 밤하늘의 달 사진을 찍어 올리시며 앞선 엄마의 메시지를 밀어내셨다.

엄마라

부를래

평생

나는 엄마를 엄마라고 한다.

어머니라고 불러야 하는 대외적인 상황에선 어머니라고 하긴 하지만 그런 특별한 경우를 제외하곤 엄마라고 하고 싶다. 다 커서 무슨 엄마냐고 지적할 수도 있겠지만, 내가 조금 의젓해 보이는 걸로 엄마라는 역사를 끝내고 싶지가 않다. 호명에는 많은 것들이 담기기 때문이다. 항상 엄마라 부르며 함께 해왔던 지난 과거의 시간과 기억들을, 엄마라고 부를 때마다 이어서 누적되는 역사로 각인하고 싶은 것이다. 늘 엄마라고 불러왔던 그 시절들에 이어서 앞으로도 계속 그렇게 지내고 싶기 때문이다. 어느 시점에 단절시킨 채 새로운 관계를 형성하고 싶지가 않기 때문이다.

어린 아기 시절부터 항상 엄마라 부르며 따라왔던 그 아들이 되고 싶은 마음이다. 친구의 어머니를 어머니라 부를 것이지, 우리 엄마는 나에게만 엄마이다.

여태 쌓아온 나의 '엄마'라는 역사를 평생 이어갈 것이다.

엄마와
엄마들

엄마에게는 네 명의 자매들이 있다. 아들은 없는 외할머니의 다섯 딸 중 엄마는 둘째이다.

다섯 자매의 신기한 점은 이모 중 아무나 두 명이 같이 있으면 딱히 자매 같아 보이지 않는데, 세 명 이상이 모이면 무조건 자매로 보인다는 것이다. 조금 닮은 수준이 아니라 자매가 아니라면 불가능할 만큼 비슷한 느낌을 풍기고, 또 저마다의 개성을 지니고 있다. 그래서 두 명이면 비슷하다고 느껴지는 관계가세 명 이상으로 늘어났을 때는 반드시 자매가 아니고서야 설명이 안 될 것 같은 유사성을 띤다.

그런 그들은 실제로 닮았다. 이모들은 종종 모여서 과일을 깎아 먹으며 (꼭 반드시 뭔가를 먹고 있다) 수다를 즐기신다. 여기서 또 정말 신기한 장면이 연출된다. 각자는 각자 자기의 이야기를 하고 있고 각자는 각자의 방식으로 리액션을 한다. 리액션을 하는 척하며 자신의 이야기를 하고 남의 이야기에 맞장구를 치며 들어주는 척하지만, 자신의 이야기를 계속 풀어간다. 모두가 각자 자기의 이야기를 하고 있고, 모두가 다 같이 웃고 있다. 대체 누구에게 이야기하고 있는지 알 수 없고, 거기서 그 이야기를 듣는 이는 나밖에 없는 듯했다.

가끔 엄마가 볼일을 보며 통화를 건성건성 하고 있으면 주로 이모들 간의 통화이다. 꽤 긴 통화를 마치고 그런 다음 주말이 지나고 나면 꼭 이모들과 함께 무언가를 하러 다녀 왔다. 어떤 때는 다 함께 똑같은 눈썹 문신을 하고는 짱구들이 되어 돌아오고, 거의 반드시 같은 날, 같은 곳에서 같은 가격에 샀다 싶을 정도의 시밀러룩을 다 함께 입고 놀러 다녀오는 일은 허다하다. 뭐 하나를 사도 똑같은 거로 맞추고, 각종

대소사를 늘 함께 한다.

언니들과 나이 차이가 크게 나는 늦둥이 막내 이모는
결혼도 늦게 해서 지금 우리 엄마에겐 손자뻘인 조카
를 키우고 있다. 어쩌면 내 아이라고 해도 될 정도의
나잇대라서, 아직 손주를 보지 못한 우리 엄마는 자
주 그 조카 아기들을 보러 간다. 어쩌면 아기의 입장
에서도 엄마와 너무나 닮은 엄마들이 단체로 나타나
니까 참 좋을 것 같단 생각도 들었다. 나도 우리 엄마
와 엄마들이 있는 느낌이 드니까. 엄마에게도 자신과
다름 없는 자매들이 있는 거니까.

든든하고 사랑스러운 이모들은 분명 엄마의 소중한
보물이다. 시끌벅적한 이모들의 정신 없는 수다를 보
아도 미소 짓게 되는 이유는 그 모습은 엄마들이 보
물처럼 단단하게 빛나는 순간이기 때문이다.

엄마

사랑해요

신입생이었던 20살, 처음으로 생일을 가족과 보내지 않고 친구들과 술을 마시고 있었다. 생일주라며 술을 거나하게 마시며 즐겁고 방탕하게 놀고 있었다.

그러던 중 일종의 벌칙처럼 누군가에게 전화해서 고백하라는 식의 미션이 떨어졌다. 첫 타겟은 당시에 짝사랑한다고 소문이 났던 상대방이었고 나는 어물쩍 넘어가고자 했다. 그때 친구 중 누군가 말했다. 그러면 엄마한테 하라고.

술김이라서인지 한번 그러고 싶었다. 엄마한테 사랑한단 말을 해본 적이 없었던 것 같다. 하고 싶단 생각이 드는 때에도 결국 어물쩍 넘어갔었으니까. 가족 간에 사랑한단 말을 평소에는 절대 할 수 없는 무뚝뚝함은 우리 집안의 내력이었으니까(엄마를 제외하고 남 자들 간은 단 한 번도 앞으로도 없을 일이다). 왠지 술에 취해서 말하면 진심이지만 덜 부끄럽고 오글거리지 않을 것 같아서, 이 상황을 핑계 삼아 한번 말해보고 싶었다.

엄마는 곧장 전화를 받으셨다. 어쩌면 아들의 생일이니까 집에서 기다렸을지도 모른다.

"엄마 사랑해요."

나는 절대로 말할 수 없을 그 말을 했다. 실제로 나는 연인 사이에서도 잘 말하지 않아서 상대에게 핀잔을 들어야 했던 그런 애정 표현을 처음 해보았다. 술김에 한 것 같고 장난 같아서 기분 나빠하실 수도 있단 생각도 들었다. 근데 이제 막 성인이 되고 취기가 주는 무한한 용기를 알아가던 그땐 그냥 술김에 진심을 꺼내 본 것일 뿐이었다.

엄마는 엄청 해맑게 웃음소리를 내시면서 "나도 사랑해~"라고 하셨다.

처음이었다. 우리 가족 간에 사랑한단 표현을 했던 게. 실제로 그 후로도 거의 하지 않았던 것 같다. 자주 말하면 참 좋을 그런 표현인데, 그게 참 어렵다. 이제는 술을 마신다고 쉽게 되는 것도 아니다.

보통 이렇게 글로 쓰고 나면, 오늘 밤에 엄마한테 사랑한다고 통화 해야겠다고 마무리를 지어야겠지만 나는 여전히 어렵다. 못할 것 같다.

그래도 언젠간 하겠지. 이 글을 엄마에게 주는 날.

다려둔
정장

한창 대학원 진학을 준비하던 시절이다. 전문대학원을 진학 하려다보니 무슨 입시 준비처럼 시험을 치고 면접을 보며 꽤 바빴던 시절이었다. 지난 해에 한 차례 입시를 실패해서 꽤 슬럼프도 겪고 다시 또 도전하고 있었다. 하지만 시험 결과가 만족스럽지 않았고, 어쩔 수 없이 조금 하향지원을 해야 했었던 터라 집에다 자세한 상황을 말해주지 못했다. 원래도 대충만 말하고 알아서 하던 편이라서 엄마는 크게 간섭하지 않으셨다. 괜히 신경 쓰시고 이것저것 물으시면 내가 귀찮아 하고 스트레스를 받을까봐 궁금하신 것도 참으며 묻질 않으셨다.

두 군데를 지원하고 결과를 기다렸다. 가군과 나군은 연속으로 매주 토요일에 면접을 본다. 지난해에도 그랬었고, 올해도 그럴 것이라서 면접용 정장을 준비해야 했다. 가군은 조금 하향지원하느라 저기 먼 지방으로 가야 했다. 전날 옷을 준비해 두고 다음 날 새벽부터 출발했다. 어딜 가는지도 말하지 않았지만, 아침부터 사라졌다기 저녁 늦게 들어온 아들을 보고도 아무 말씀이 없으셨다. 내가 어딜 가는지 온종일 궁금하고 걱정되셨을 텐데 단 한마디도 묻질 않으셨다. 그 대신 아마도 하루 내내 기도하고 계셨을 거다. 아들이 떨지 않고 면접 잘 치르고 무사히 오기를 말이다.

그렇게 가군 면접이 끝이 났다. 그리고 내 면접도 모두 끝이 났다. 나군은 서류면접에서 탈락해서 대인면접은 갈 필요가 없었다. 가군의 하향지원에 맞춰 나군은 상향지원을 했더니 서류 광탈을 해버렸다. 어느 정도 예상을 해서인지 별다른 생각도 나지 않았다. 하지만 문제는 엄마에겐 면접을 보지 않을 거라는 걸 말하지 못했다는 것이다. 탈락 자체를 부정하고 싶어서 빨리 잊으려고 했을 뿐이었으니까.

나군 면접을 보러 가야 할 날 아침에 침대 머리맡에는 엄마가 다려 둔 정장이 걸려 있었다. 말도 안 해주는 아들내미가 뭐 이쁘다고 그리도 정성스레 옷을 다려두신 걸까. 내가 말하지 않아도 작년의 패턴을 기억하셨다가 이번 면접을 준비해주신 거다. 엄마도 아침 일찍 나가시느라 바쁘셨을텐데 아들의 옷까지 준비해두고 가신 거였다.

나는 그날 아무 일정도 없어 빈둥댈 생각이었건만, 그 다려진 옷을 어떻게 해야만 했다. 순간 멍해졌다가, 일단 어디라도 나가야겠단 생각이 들었다. 옷을 정장 가방에 곱게 개어 넣고 들고 나섰다. 잊지 않고 구두까지 챙겼다. 하지만 역시 들고 다니기 불편할 것 같아 집 옆에 따로 붙어 있는 큰 짐이 가득한 다용도실에 옷과 구두를 살짝 숨겨서 넣어뒀다. 그리고 집을 나섰다.

적당히 시간을 보내고 친구도 불러내고 이런저런 이야기를 했다. 숨겨 두고 온 정장 이야기를 해줬다.

함께 씁쓸해하며 고개를 떨궜다. 그냥 혼자 삭히며 속상해하고 넘어가고 싶었던 서류탈락의 아픔을 차마 엄마에게까지 들키고 싶지 않았다. 뒷바라지해주셨던 시간과 노력에 대한 미안함도 있고, 엄마는 본인이 겪을 상실감보다 아들이 겪을 속상함 대한 걱정이 더 크실 것이 분명하니까. 그래서 나는 입지도 않

61

은 옷을 입은 척해야 했다.

저녁에 집을 들어가며 구두와 정장 가방을 챙겨 들고 들어갔다. 친구와 약속이 있어서 불편한 옷을 갈아입고 다녀온 것처럼 말이다. 역시 오늘도 엄마는 아무런 질문을 않으셨다. 가져온 옷이 지나치게 깔끔해서 눈치채셨을지도 모른다. 아니 어쩌면 오늘은 기도하지 않으셨을지도 모른다. 이미 나의 탈락까지 다 알고 계셨을지도 모른다. 내 행동이나 눈지만으로도 나를 다 아는 엄마니까. 그냥 그저 엄마도 모른 척해주기 위해서, 아들의 자존심을 위해서 입지 않을 옷을 다려 두셨을지도 모른다.

그렇게 우리는 서로를 위해 서로를 속였을지도 모른다.

그렇게 우리는

서로를 위해 서로를 속였을지도

모른다.

지진

2016년 큰 지진이 난적이 있다. 그날은 하필 나의 생일이었고, 친구들과 만나서 놀고 있을 때였다. 갑자기 큰 지진으로 순식간에 모두가 놀라는 상황이 발생했다.

다행히 내가 있던 곳은 집 근처였고, 급하게 집으로 달려갔다. 다행히 혼자 계셨던 엄마의 옆에는 아빠가 와 있었다. 갑자기 지진이 나서 외국에 있던 형을 제외한 가족 모두가 한순간에 집으로 모인 것이다. 엄마는 태연하게 지진으로 쏟아진 장식장의 물건들을 치우고 계셨다. 지진은 무서운 일이었지만, 결국 지진이 나자 온 가족이 단숨에 모였다. 위급 상황에서 각자 가족을 생각하고 집으로 모인 이 상황이 한편 뭉클했다. 혼자 무서웠을 엄마를 걱정했지만 의외로 무덤덤하게 집 정리를 하고 계셨다. 다들 진정도 되었으니 가족이 모인 김에 케이크를 사오고 가족과 함께 촛불을 불었다.

생일은 사실 엄마와 나에게 가장 특별한 날이다. 엄마가 자기 안의 나를 세상에 소개해준 날이다. 하지만 매년 반복되니 특별한 줄 모르는 날이 되었고, 나이가 들면서 친구들과 축하하는 모임의 자리가 더 많아지며 가족 간은 다소 멀어진 날이 되어 버렸다.

지진은 분명 재앙이다. 위험한 일이고 발생하지 않길 바라야 한다. 그런데 아이러니하게도 그날의 지진은 내게 어떤 알람이었고, 엄마를 찾아가게 했다.

우리 엄마는 혼자 있던 집에서 일찍 귀가한 나를 만났고, 아빠까지 다 함께 나의 생일을 보낼 수 있었다. 나도 나의 오늘을 있게 해준 엄마에게 감사할 수 있었다. 갑작스런 경각심은 잊고 지낸 소중함을 들추어주었다.

틈새
작업
회고

사실 이 책만 보면 엄마와 나를 엄청 사이가 좋은 모
자지간으로 오해할지도 모른다.

특히 아들 녀석이 엄마를 엄청 생각하고 잘 챙기는
줄로 착각할 수도 있다. 어쩌면 나도 사실 그걸 노린
걸지도 모른다. 막상 만들고 보니 심히 그렇다. 몇 없
는 사연들을 모아서 보면 그래도 좋아 보이니까. 그
런데 사실 이렇게 긁어모은 에피소드를 제외하면 그
렇게 기억에 남은 이야기가 별로 없다는 것을 알게
되었다.

어릴 때나 10대 때는 큰 대화가 거의 없는 보통의 무뚝뚝한 아들이었다. 학창시절엔 정말 일어나라는 말에 일어나고 학교 다녀온다는 말만 하고, 저녁에 밥 먹으란 말만 듣는 그 정도의 대화가 하루의 전부였던 걸로 기억한다. 스무 살이 넘고서야 아들도 너스레가 늘면서 엄마와의 대화도 많아졌다. 엄마도 조금은 어른이 된 아들에게 그래도 조금 더 의지하시면서 이런저런 말씀도 많아지셨다. 아니면 엄마도 나이가 드셔서 그랬을지도 모른다. 특히 나도 사회에 나가고서야 옛날에 어렸던 자식들 앞에서 험난한 사회를 가려줬던 부모님들의 처지를 이해하게 되었고 어릴 때는 이해할 수 없던 것들을 서서히 알아갈 수 있었다.

그러다 보니 엄마와의 대화도 비교적 많아졌던 것이었다. 멀게만 느꼈던 어른이라는 존재가 나도 되어버려서 공감하는 지점들이 는 것이다.

처음에는 재밌는 이야기들만 모아 보고 싶었다. 그런데 이야기가 너무 적었다. 가족이 함께 떠났던 여행을 떠올려 봐도 어린 시절에 엄마는 아버지와 함께

어른의 역할로써 우리를 돌보기만 했고 나와 형은 둘이서 노는 편이었다

어떤 행동을 하면 부모님이 화를 내시는지, 어떤 걸 강요하면 아들들이 짜증을 내는지 서로 알다 보니 서로 그런 행동을 피하고 그 이상의 부대낌도 적어진 편이었다. 전형적으로 별로 안 친한 가족의 모습이었다. 친구 사이 같은 모습의 가족은 아니었다.

그렇다고 정이 없는 건 아니다. 표현이 적고, 일상을 덜 공유한다고 마음까지 없는 건 아니다. 마치 공기처럼 당연히 숨 쉬니까 눈치채지 못하고 지내지만 어쩌다 숨이 막혀올 때, 큰 호흡이 필요할 때 언제든 곁에 있어 주는 그런 존재라는 생각이 든다.

그래서 아직 자리도 제대로 잡지 못한 불효자식이 해볼 수 있는 작은 표현으로 글을 모으고 써보고 싶었다. 그동안 해오지 못했던 관성을 한번 깨트리는 시도를 하는 것이다. 은근슬쩍 혼자 기억하고 생각만한 채 말하지 않았던 것들도 조금씩 섞어 넣어 전해

보는 것이다. 이제라도 감사하단 표현을 나만의 방식으로 해보는 것이다. 사실 더 좋아하실 여러 효도(가령 결혼이나 크나큰 용돈 등등)를 해드리고 싶지만, 사실 내 한 몸 건실하기도 힘에 부치는 현실을 살아내면서, 부모님은 그 시절 우리를 어떻게 그렇게 키워냈을지 다시 존경하면서도 과연 되돌려 드릴 수 있을까 싶어 미안해지기도 한다. 아마 갚을 수 없을 만큼 이미 받아버렸으니까 그냥 모른 척 하고 넘어가게 되는 듯하다. 엄마니까, 자식이니까, 라는 이유로 당연시되는 것이지만, 그래도 모른 척하지 않고 알고 있다고 말해주는 것만은 꼭 해야 할 거 같다.

서툰 글로 어떻게 다 아는 체하느냐 스스로 의문이 들다가도 우리 엄마는 무조건 이해해줄 거라는 마지막 어리광을 부려본다.

우리 엄마는

무조건 이해해줄 거라는

마지막 어리광을 부려본다.

완벽한

엄마상

엄마는 꽤 오래 일을 하셨다. 처음에 가볍게 시작하셨던 일자리에서 근면 성실하신 덕에 쭉 이어서 더 많은 일을 하게 되셨고 차장의 위치까지 하시고 얼마 전 퇴직을 하셨다.

엄마는 완벽했다. 집안일도 해내시면서 직장을 다니셨다. 종종 야근도 하셨고, 퇴근 후에도 일 때문에 전화를 자주 하셨다. 직장 동료들에게도 좋은 멘토였고 동료여서 상담 전화나 개인적 만남도 잦으셨다.

그래도 회사라는 게 늘 그러하듯, 퇴근 후 나와 밥을 먹는 동안 하소연을 하신다. 회사에서 있었던 안 좋은 일이나 힘든 상황들을 들었다. 그러면 또 냉철한 아들 놈은 공감을 해줘야 망정일 텐데 그러질 않고 힘드시면 인제 그만 일을 그만두라고 하였다. 그냥 좀 쉬셨으면 하는 마음도 있고 고생하시는 게 마음이 쓰여서 그렇게 말하긴 했는데 엄마에겐 별로 도움이 되지 않았을 거다. 그래도 참고 견디며 다니고 계시는 데 응원이 필요했을 거란 생각은 꽤 나중에서야 들었다.

그만두라는 아들의 말을 그대로 실천하신 건 아니지만, 어머니가 생각한 적당한 시기를 잡으시고 퇴직을 하셨다. 아마도 우리에게 부담을 주지 않을 준비를 다 하시고서야 그만두신 것 같다. 일과 가정 모두 완벽했던 어머니가 이제 하나를 놓고 집으로 돌아오셨다.

처음엔 많이 심심해하셨다. 그래서 도서관도 가고, 주부대학도 다니고 그러면서 갑자기 비어버린 하루의 일과를 이것저것으로 채우고 계셨다. 일을 그만둔 처음 한두 달은 매일 낮잠을 주무셨고, 최근 몇 달은 매일 모임이나 특강으로 바쁘게 생활하신다. 바쁨이 일상이던 지난 오랜 직장 생활이 몸에 배셨기 때문에 곧장 게을러지지 않으신다.

여전히 바쁘게 살지만, 이젠 본인을 위한 시간을 보내고 계신다. 허투루 쓰는 시간도 노력도 없는 엄마는 내게 가장 멋진 롤모델이다. 내가 따라가지 못할 만큼 성실하고 부지런하셨던 분이다. 사실 그 이유는 우리에 대한 책임감이었을 거다.

엄마에게 농담처럼 시니어 인재상이라고 말한 적이
있다. 항상 응원하고 싶은 완벽한 엄마다.

엄마라는
섬

우리 집에서 엄마만 혼자 여자다. 아빠와 두 아들은 모조리 시커먼 수컷이다. 그래서 자주 생각한다. 딸이 있었으면 조금 더 좋았을까. 내가 아무리 살갑게 굴려고 해도 한계를 매번 느낀다.

목욕탕도 혼자 다니시고, 종종 함께 가는 쇼핑도 따라만 갈 뿐, 같이 옷을 봐주는 재주가 없다. 물론 엄마의 복제인간 같은 이모들과 함께 다니실 때가 채워주겠지만 그래도 내가 같이 다니다보면 내가 딸이면 엄마에게 더 좋을 것 같다는 느낌이 들 때가 있다. 남자들이 대체할 수 없는 그런 영역이 있다 보니 항상 우리 가족은 엄마라는 섬을 둘러싼 바다 같다. 매일 아내를 찾고, 엄마를 찾는 남자들에게 둘러싸여서 끊임없이 파도가 몰아치는 일상이었다.

그래서 내 파도는 좀 달라져야겠다는 생각을 해본다. 엄마 섬이 깎이지 않게 더 고운 모래를 가득 실어오거나 주변만 맴돌거나.

적어도 엄마 섬의 내 파도는 잠잠해질 수 있기를.

도서관
나들이

엄마가 퇴직하고 나에게 부탁한 일이 있었다. 책을
좋아하는 본인을 위해서 도서관 이용 하는 방법을 알
려 달라 말씀하셨다. 마침 나도 도서관 대출증을 만
들까 생각하고 있던 차라, 함께 날을 맞춰 도서관에
갔다.

도서관 컴퓨터에 앉아 회원가입을 하고 카드를 발급받았다. 엄마는 내게 맡겨놓고 자꾸만 책을 구경하러 가셨다. 사실 나도 오랜만에 와서 약간 헤매었는데 정말 자동화가 잘되어 있었다. 카드 하나만 있으면 기계가 알아서 해주었다. 그래서 다행히도 엄마에게 쉽게 알려드릴 수 있었다. 각자 빌릴 책을 잔뜩 가지고 와서 기계 위에 올려놨다. 알아서 인식하면서 삑삑 소리를 내며 모두 처리가 되었다. 로그인이나 번호 등록 같은 걸 해야 하면 어쩌나 걱정했는데 엄마도 카드만 대고 곧장 하실 수가 있었다. 그래서 이날 이후로는 함께 온 적이 없다. 엄마가 알아서 자기 마음대로 다니실 수가 있어서 말이다. 내 도움이 없어도 충분히 원하는 책을 보실 수가 있으니까. 좋으면서도 또 한편 조금 아쉽기도 했다.

엄마는 가끔 이런 일을 좋아하신다. 사실 자신이 혼자서 할 수도 있는 일을 괜히 내가 해주길 바란다. 아들내미가 엄마를 위해 시간과 노력을 하는 것. 은근히 자랑하시는 것도 안다. 그래서 참 다행이고 고맙다. 이런 사소한 것들도 좋아해 주시니까. 작게나마 효도할 기회를 주니까 너무 고맙다.

고양이와
쥐

오래된 주택에 살다 보니 가끔 쥐가 나올 때가 있다. 동네의 어딘가에서 약을 먹고 정신을 못 차린 채 우리 집 마당으로 오는 것이다. 어릴 때 나는 그런 쥐를 보면 너무 무서워서 소리를 치며 도망을 갔고 엄마가 항상 그 쥐를 쫓아내거나 잡으셨다.

그런데 언젠가부터 쥐가 더 나타나지 않았다. 우리 집 마당에 길고양이가 터를 잡았기 때문이다. 엄마는 고양이를 너무나 싫어하셨다. 원래 어른들은 고양이에 대한 부정적 이미지가 있는데, 그런 영향이 있어서 경계하는 것 같다. 고양이가 등장하고부터 장점은, 더는 쥐는 나타나지 않는다는 것이었다. 하지만 장점만 있는 일이 없듯이 단점이 하나 있는데, 새끼고양이를 우리 집 마당 구석에서 낳고 키운다는 것이다. 그래서 매일 밤 아기 울음소리 같은 새끼고양이 소리가 났다. 엄마는 항상 고양이에게 소리를 치며 짜증을 내셨고 쫓아내고 싶었지만 날렵하게 담벼락을 타고 슬그머니 찾아오는 고양이들을 어찌하진 못하였다

그러던 어느 날 아침 갑자기 엄마의 비명이 들렸다. 놀라서 마당에 나가보니 마당의 한 가운데에 쥐 사체가 놓여 있었다. 고양이들이 재미로 사냥을 한 것처럼 한 부분만 물어 뜯겨 있었다. 엄마는 그 모습이 너무 징그러워 기겁했고, 이젠 어른이 된 내가 그 물어뜯긴 쥐의 사체를 치워야 했다. 땅을 파고 묻은 후 엄

마에게 다 치웠으니 나와도 된다고 했다. 엄마는 고양이의 저주라며 무서워했고, 나는 고양이가 어쩌면 자기들이 생활할 수 있게 해준 게 고마워서 보은으로 갖다 놓은 거 아니냐고 변명했다. 고양이의 의중을 알 순 없지만, 고양이의 관점에서 노력한 사냥감을 보란 듯이 전시해 둔 것은 나쁜 의도일 거라는 생각이 들지 않았다.

그런데 이런 일은 이후에도 몇 번이나 반복되었다. 쥐는 물론이고 새를 잡아서 두는 때도 있었다. 분명한 건 사냥만 하고 사냥감을 온전히 가져다 놓은 형태라는 것이다. 헤집어 놓거나 먹다가 남긴 흔적이 아니었다. 정말로 자기들의 사냥 실력을 자랑하듯 혹은 이쁜 선물을 주듯 늘 넓은 마당의 한 가운데에 딱 놓여 있었다.

그래도 사체는 사체이다 보니 엄마는 여전히 볼 때마다 징그러워하고 기겁을 했지만, 자연스럽게 내가 매번 땅에 묻어주고 치우면서 이마저도 적응해 가고 있었다.

그러다 어떤 때는 어디서 뭘 잘못 먹고 죽은 고양이의 사체도 있었고, 또 어떤 때는 자그마한 새끼 고양이의 사체도 있었다. 나는 본의 아니게 수많은 동물의 무덤을 만들어줘야 했고, 나는 동물들의 장의사가 되고, 집앞길의 바깥쪽 외곽 화원은 동물들의 공동묘지가 되어 갔다. 엄마도 더 징그럽다고만 생각하지 않고 익숙해진 듯하셨다.

마당엔 늘 고양이들이 놀고 있었고, 우리가 그 앞을 지나가면 적당히 거리를 둔 채 경계만 한다. 서로서로 침범하지 않은 채 어느덧 함께 살아가고 있었다. 그러던 어느 날, 오랜만에 집에 갔더니 엄마가 고양이 이야기를 했다.

"우리 고양이들 저거 또 새끼 잔뜩 낳았다."

엄마는 고양이를 보고 '우리 고양이'라고 했다.

"엄마, 이제 우리 고양이가?"

나는 웃으며 되물었다. 엄마는 얼버무리며 다시 고양이가 새끼를 세 마리나 낳았다고 말씀을 하신다.

처음에는 매일 미워하고 쫓아내려고 하셨지만 십여 년이 지나며 이미 마음으로는 '우리 고양이'로 여기고 계셨다.

비록 본인도 동물이 무서웠지만 어린 아들을 위해 쥐도 직접 쫓던 엄마가, 이제는 쥐도 무서워하고 고양이를 가족처럼 여기는 엄마가 되었다. 동물을 정말 싫어하셨던 엄마에게, 그래서인지 수염이 가득한 아들들을 출가시킨 엄마에게, 언젠가는 털이 복슬복슬한 반려동물을 소개해줘야 할지도 모르겠다.

엄마는
독서광

엄마는 독서를 즐기신다. 책을 대단히도 좋아하시는데 특히 역사소설을 가장 즐기신다. 책을 읽으며 눈물을 흘리다가 그만 잘 보이지 않아 덮으실 때가 많았다. 감수성이 풍부하셔서 언제나 인물에 이입하시는 것 같다. 안타까운 사연의 역사 속 여성 캐릭터들을 특히나 사랑하신다. 책을 읽다 덮으시면 내게 그 인물의 안타까운 사연을 구구절절 설명해주시면서 이야기보따리를 풀어 준다.

수백 페이지가 한 권이고, 그런 책이 열 몇 권씩 되는 전집을 참 좋아하신다. 한번 몰입하면 하루에 두세 권도 거뜬히 읽을 만큼 대단한 집중력을 보이시면서 한 달도 채 걸리지 않아 대서사시를 완독하시다 보니 늘 분량이 많은 책을 찾으신다. 짧은 이야기는 너무 싱겁다며, 더욱 깊은 이야기를 찾아 헤맨다.

그런데 요즘은 책을 많이 읽지 못하신다. 눈이 나빠지셨고, 금방 피로해지셔서 그렇다. 어쩔 수 없이 세월을 보내며 지친 눈은 많은 책을 소화해내지 못하게 되었다. 그래서 이전보다 힘들어하신다. 누구보다 책 읽기를 좋아하는 분인데, 마음대로 읽을 수가 없게 되었다는 건 참 안타깝다. 이제 퇴직하고 책 읽을 시간도 많아졌고 세상의 더 많고 재밌는 책을 볼 수 있게 도서관 대출 등록도 해뒀는데, 독서가 힘든 나이를 지나고 계셨다.

괜히 미안했다. 책을 읽지 못하셨던 만큼 우리를 키우며 일하셨고, 이제야 책을 좀 읽으려 하니 키우고 일하느라 몸이 늙어버리셨다. 그래서 엄마가 더 늙기 전에, 꼭 엄마에게 내가 쓴 글을 선물하고 싶다.

엄마의
편식

어릴 적 엄마는 늘 건강한 식단을 챙겨주셨다. 간도
슴슴한 편이었고 육류보단 채소 위주의 식단이었다.
고기만 좋아하는 우리와 달리 해산물이나 생선까지
잘 먹는 엄마는 뭐든 다 잘 드시는 줄 알았다.

그런데 가족끼리 해외여행을 다녀보면서 알게 되었다. 아무거나 다 잘 먹는 줄 알았던 엄마도 함께 외국에 나갔을 때 우리 가족 중에 가장 입이 짧다는 걸 알았다. 가족끼리 외식 때 이국적인 식당은 간 적이 없어서 몰랐는데, 조금이라도 낯선 음식이나 냄새가 심한 음식은 아예 입에도 대지 않으셨다. 항상 어른 같던 엄마가 어린 아이 같은 편식을 보이셨다. 현지 음식보단 호텔 조식이나 익숙한 과일이나 빵만 골라 드셨다.

사실 엄마는 채소와 해산물, 빵을 유독 좋아하신 거였다. 고기를 좋아하지 않으신 거다. 어릴 땐 우리 살찐다고 일부러 안 해먹인 건 줄 알았었다. 건강하고 맛있는 음식을 챙겨주는 어른스러운 입맛의 엄마라 생각했었는데, 사실은 아니었다. 엄마는 엄마의 취향이 있었다. 그래서 차라리 다행이었다. 엄마가 우리 때문에 일부러 번거롭게 가려서 먹고 계셨던 건 아니었다. 사실은 본인이 좋아하시는 것을 드셨던 거다. 엄마의 편식은 뒤늦게 알게 된 것이다. 엄마도 취향이 분명한 진성 빵순이였다.

빵을 좋아하는 엄마에게 더 맛있는 빵들을 맛보여 드리고 싶다. 요즘은 맛난 빵도 많아지고 엄마가 좋아하는 식감과 재질을 이제는 잘 알게 되었다. 엄마가 좋아할 만한 여러 빵집이 동네에도 많이 생기고 있다. 하지만 이제 나이가 드셔서 건강을 위해 빵을 줄여야 하신단다. 탄수화물을 줄이셔야 하고 특히 밀가루는 여러모로 좋지 않다. 이제야 엄마의 식성을 알고 챙겨드리려 해도 엄마의 시간이 지나가 버렸다. 이제는 맛있는 빵집도 알고 엄마의 입맛도 알 거 같은데, 안타깝게도 더는 그 시절의 빵순이 엄마일 수가 없는 것이다.

엄마의
찬합통

엄마는 늘 큰 밥솥 한가득 밥을 하셨다. 4인 가족이
아침을 먹고 때때로 점심, 대부분 저녁까지 먹으니
늘 한솥이 하루면 충분했다. 하지만 형이 먼저 타지
에 있는 학교로 가서 나가 살게 되고, 나도 성인이 되
고 저녁을 먹고 들어오는 날이 늘었다.

아버지도 보통 저녁은 집에서 안 드실 때가 잦았다.
어느 날부터 냉장고 한쪽에 은색 찬합통이 하나 눈에
띄었다. 처음엔 적당한 크기라 김치통인 줄 알았다.
그러던 어느 날 저녁 엄마와 밥을 먹는데 엄마가 그
찬합통을 꺼내오시더니 그 속의 찬밥을 드셨다.

늘 해오던 대로 밥을 한솥 하셔도 이제는 다들 집에서 밥을 먹는 일이 줄어들다 보니 찬밥이 많이 남기 시작했다. 보온의 상태로 보관을 하다 하루 이틀째에 볶음밥이나 국밥으로 소모를 해왔지만, 갈수록 밥을 적게 먹으면서 더 많이 모이는 찬밥은 어느덧 전용통이 생긴 것이다.

내가 그 찬밥부터 같이 먹자고 말을 해도 늘 아침에 따뜻한 밥을 챙기고 싶었던 엄마는 여전히 새 밥을 짓고, 찬밥을 모으셨다. 그래서 나도 집에서 밥을 먹을 때면 꼭 그 밥을 먼저 꺼내 먹게 되었다. 한번 식은 밥이라 조금 말라 있다 보니 데우는 거로도 부족하여 국을 데우거나 라면을 끓이고 찬밥을 함께했다.

하지만 내가 찬밥을 먹는다고 엄마가 갓 지은 밥을 드시는 건 아니었다. 엄마는 우리가 있을 때는 늘 새 밥을 해두셨고, 우리가 없을 때 본인은 찬밥을 드셨다. 나와 엄마가 경쟁적으로 찬밥을 먹어도 늘 새로 하는 더운밥이 계속 찬밥을 만드는 것이다.

그래서 항상 어렵다. 우리에게 꼭 더운밥을 챙기는 게 본인의 만족이라고 하시니 무작정 뭐라 할 수도 없고, 그렇다고 찬밥이 안 생길 수도 없고. 그저 내가 할 수 있는 최선은 조금이라도 집에 더 일찍 들어와서 저녁에 엄마와 찬밥을 나눠 먹는 것이었다.

다 함께 밥을 먹는 아침은 늘 더운밥을 하고 찬밥이 남게 되면 본인이 드셔야 본인 마음이 더 편하시다는 게, 그냥 너무 슬픈 일이다.

"콩떡 이거 물래?"

엄마는 종종 냉장고에 많이 남은 음식을 갑자기 먹어보라 추천하신다.

"내 콩떡 안 좋아한다~"

나는 콩떡을 좋아하지 않아 거절
한다.
"이거 팥떡이다, 팥떡.
 맛있다, 무바라."
엄마 앞에서 떡의 정체성은 1초
만에 바뀌기도 한다.

삐딱한
뒤통수

기억이 잘 나진 않는다. 어린 시절에 대한 기억이 별로 많지가 않다. 다만 사진 속이나, 들려주는 이야기 속에 나의 어린 시절이 담겨 있다.

항상 형을 따라 하고 있고, 맹한 표정으로 가만히 있

는 아이였다. 연년생인 형과 나는 함께 아기였을 테고, 엄마는 그런 우리 둘을 동시에 키워야 했다. 별나서 업어 주지 않으면 잠을 자지 않는 형 때문에 엄마가 고생이 많았다고 한다. 외할머니가 자주 돌보아 주러 오셔야 했고, 엄마는 매일 형을 업고 다녀야 했다. 반면에 나는 매일 누워서 잤고, 그래서 엄마가 참 편했다고 한다. 그냥 나 듣기 좋아하라고 해주는 말은 아닌 게, 실제로 나의 뒤통수는 한쪽으로 삐딱하다. 그 방향은 실제로 내가 잠을 자는 버릇이 있는 방향이다. 분명한 그 흔적이 남아있어서 그 이야기는 나에게 꽤 신빙성 있는 어린 시절이다. 그래서 어린 시절의 기억은 잘 나지 않지만, 왠지 비스듬히 천장을 바라보고 있으면 그때의 기억이 떠오를 것만 같다. 이런 나에게 늘 엄마는 입버릇처럼 수월하게 키웠다고 말했었다.

사실 나는 잘 기억나지도 않는 어릴 적, 그때는 그래도 나름 효자였던 것 같아서 참 다행이다. 그런 사연이 담겨서인지 삐딱한 나의 뒤통수는 꽤 만족스러운 훈장이다.

늘새옷

엄마는 쇼핑을 다녀오시면 내 옷을 자주 사 오셨다. 혹은 상품권 등이 생기면 꼭 내게 주시며 입고 싶은 옷을 사 입으라고 하셨다. 나는 옷에 큰 관심이 없어서 엄마가 그럴 때면 그냥 나는 필요 없으니 본인 것을 사 입으라고 거절을 했다. 20대가 넘었을 땐 과외비도 잘 벌고 있으니 괜찮다고 말해도, 그래도 엄마는 억지로 내게 주고 가셨다.

생각해보면 중학교 입학 때도 엄마는 내게 형보다 비싼 브랜드의 교복을 사 주셨다. 고등학교 때도 소풍가는 날에 유행하는 브랜드의 츄리닝을 사주셨다. 왜인지 몰라도 늘 내게 좋은 새 옷을 입혀 주셨다. 나는 대충 입어도 된다 해도 남들이 욕한다고 이쁘게 좀입고 다니라 하셨다. 그래서 겉이 못난 내게 옷이라도 새 옷을 입히시는가 했다.

성인이 된 지 한참이 지나고 어느 날 함께 밥을 먹고이런 저런 얘기를 하다가 또 옷 이야기가 나왔다. 나는 제발 엄마 옷을 사 입으시라 말했다가 마침내 엄마의 이유를 듣게 되었다.

내가 초등학교도 들어가기 전인 아주 어린 시절, 엄마에게 말했다고 한다.

'행님한테 좋은 옷을 사주라. 그러면 그 옷을 내가 물려 입을 수 있다.'

형의 옷을 물려 입는 게 자연스럽고 당연하다고 생각했고, 형이 좋은 옷을 입고 그걸 내가 물려받아 입으면 우리 형제 둘 다 좋은 옷을 입을 수 있는 거로 생각해서 말한 것이다. 어렸던 나는 당연히 부모님의 입장을 깊이 생각하지 못했고, 혼자 좋은 아이디어라고 생각한 채 엄마에게 말했을 것이다.

하지만 엄마는 계속 그걸 기억하고 계셨다. 그때 참 마음이 그랬다고. 물론 어린 내가 나쁜 의도 없이 순수한 생각으로 말했단 것도 아셨지만, 마음은 너무 그랬다고 하셨다. 그래서 그런 말을 한지 기억조차 못 하는 내게 20년 가까이 항상 새 옷을 사주고 싶어 하신 거였다. 차라리 어린 애가 자기 이쁜 옷 사달라고 졸라야 했을 텐데 물려 입겠다고 형에게 좋은 옷

을 사주라고 말을 했으니 그 말을 들어야 했던 엄마
는 어땠을까.

엄마는 그 사소한 말 한마디를 평생 잊지 못하시고
항상 혼자 기억하며 속상하셨을 거다. 엄마도 옷을
참 좋아하시는데, 쇼핑을 가셔도 그때 그 말 한마디
때문에 매번 본인의 옷보다 내 옷을 우선 사셔야만
마음이 조금이나마 편하셨을 테다. 어렸던 나의 순진
한 말 한마디가 평생 상처로 남아 엄마 마음을 괴롭
혔을 것이다. 아무도 잘못한 게 아니지만, 서로 평생
미안할 아픈 기억이 남았다.

하얀
기억

어느 날 눈앞이 하얘졌다. 문학적인 표현과 다르게 진짜로 눈앞이 하얗게 보였다. 잠깐 뭐가 묻은 건가 하며 눈을 비벼도 희끄무레한 무언가가 계속 앞에 있었다. 초등학교를 들어가기 직전이던 나는 제법 많은 상상력을 동원했다. 제발 이 일이 큰 문제가 아니길 빌고 또 빌었다. 문제가 있으면 곧장 말을 해야 하지만, 문제가 있다는 말을 하여 엄마에게 괜한 걱정을 끼치는 걸 싫어했다. 우리를 잘 챙겨 주시지만, 잘못했을 땐 분명하게 야단을 치는 엄마를 참 많이 사랑하면서도 동시에 무서워하기도 했다. 내가 어떤 문제를 일으키는 게 싫으니까 말을 잘하지 않았다. 잠을 자면서 제발 내일 눈을 떴을 때는 멀쩡해졌으면 좋겠다고 빌었다.

하지만 그 바람은 며칠이 지나도 나아지지 않았고, 그 희끄무레한 것은 분명히 내 눈의 문제인 게 확실했다. 그제서야 엄마에게 말했다. 눈앞에 하얀 게 보인다고.

곧장 엄마의 손을 잡고 안과로 갔다. 동네 안과에서 내린 진단은 '소아 백내장'이었다. 지금은 의료기술이 꽤 발달했지만, 당시에는 조금 희귀하고 어려운 병에 속했다. 큰 병원으로 가서 수술해야 한다는 이야기를 듣고 엄마는 여기저기 알아보기 시작했다. 그리고 부산에 있는 큰 병원으로 가게 되었다. 어린 나는 그냥 무조건 하라는 대로 했고, 아프거나 지겨워도 참고 견디고 있었다. 정말 다행히 당시에 갓 개발된 '인공수정체안'으로 수술할 수 있었고, 수술 후 7일 정도 입원을 하면 되는 것이었다.

큰 병원은 늘 기다림이 전부인 곳이다. 항상 병원 복도의 대기 의자에 순서대로 앉아서 한 명이 진료실로 들어가면 옆 의자로 한 칸씩 이동하며 진료실로 다가갔고 몇 시간을 기다려야 도달할 수 있었다. 엄마는

107

어린 나를 데리고 한동안 그곳에서 매일매일을 보냈다. 수술 전까지 각종 진단을 받아야 했고 혼자서 할 수 없는 어린 나 때문에 엄마는 모든 것을 대신 해주어야 했다. 어린 나는 까부는 성격은 아니었지만, 불편한 어른용 의자에 오랫동안 앉아 있는 건 사실 큰 고역이었다. 하지만 뭔가 내가 잘못해서 생긴 병 때문에 지금 엄마와 내가 이런 고생을 하는 것만 같았다. 그래서 늘 참고 또 참았다. 왠지 엄마를 불편하게 하고 걱정 끼치게 한 것 같아, 내가 저지른 잘못으로 이러고 있다는 생각에 힘들고 지겨워도 참으려고 했었다.

눈 수술은 잘 되었다. 하지만 첫날은 두 눈을 가리고 있어야 했다. 나는 어두컴컴한 하루를 보내야 했다. 빛이 없는 세상에서 내 손을 잡고 나를 챙겨주는 엄마에게 모든 걸 의지해야 했다. 한 걸음도 함부로 떼지 못하고, 팔 동작 하나도 무언가 건드릴까 할 수 없는 상황이었다. 엄마가 잠깐이라도 화장실을 다녀오실 때면 나는 비록 짧은 순간이지만 아무것도 보이지 않는 어두컴컴한 세상에 홀로 남겨진 공포를 느껴야 했다. 눈을 감은 채 엄마가 떠먹여 주는 밥을 먹고, 소리만 들리니 더 커진 세상의 소음들 속에서 엄마의 목소리를 놓치지 않아야 했다. 1인용 침대지만 어리고 조그마했던 나와 엄마는 같이 잠을 잘 수 있었고, 눈이 보이지 않아 어둠 속에 있던 나는 그날 하루 다시 엄마의 뱃속에 들어간 아기와 다름없었다.

다음날은 수술하지 않은 반대쪽 눈을 뜨게 해줬다. 하루였지만, 짧은 내 인생 속에서 아마도 가장 긴 하루였던 어둠 속 공포의 하루가 끝이 나는 순간, 눈앞에 의사가 보였고 그 옆의 엄마를 찾았다. 이제 더는 엄마를 불편하게 하지 않아도 된다는 안도감이 들었다.

며칠 후 수술한 눈까지 가렸던 안대를 벗고, 약 일주일 동안 반복되는 병원 생활을 했다. 차라리 입원 상황에서는 방문 검진 때와 달리 엄마도 침대에 편히 누워 계실 수 있었고, 내진하게 되니 따로 기다리지 않아도 되었다. 정말 다행히도 편안한 일주일을 보낼 수 있었고, 찾아오는 아빠와 형, 친척들, 다른 지인들을 맞이하며 그럭저럭 괜찮은 휴가처럼 느껴질 수 있었다.

낯설고 무서운 큰 병원에서 종일을 엄마에게 의지해야 했던 그 일주일은 다시 한번 엄마와 나만 있던 세상이었다. 그런 어린 시절이 어쩌면 엄마에게 정말 잘해주고 싶다는 막연한 생각, 엄마는 무조건 감사한 존재로 느끼는 이유가 된 기억인 듯하다.

그 이후에도 정기적으로 검진을 받고 추가 레이저 치료를 받아야 했다. 몇 달에 한 번에서 몇 년에 한 번으로 방문 간격은 늘어났지만, 꼬박꼬박 엄마는 어린 나를 데리고 멀리 부산으로 가야 했다. 대부분 평일 진료라서 아빠는 가끔만 함께했다. 비록 즐거운 여행길은 아니지만, 아침 일찍 버스를 오래 타고 한참을 또 걸어 병원을 들러 몇 시간을 기다리며 진료를 받는 일들이 어린 내겐 우리 동네를 벗어나 새로운 세상을 보는 날 들이기도 했다. 큰 탈 없이 진행되는 진료들 덕분에 멀리서 보면 소풍 같던 시간이지만 그때의 엄마는 늘 내 걱정으로 불안해하면서 동시에 어린 내게 불안이 퍼지지 않도록 담담한 모습을 보여줘야 했다. 그에 나도 늘 아프고 지겨운 시간을 짜증이나 우는 소리 한 번 내지 않으며 참으려 노력했었고 이 모습에 담당 의사와 간호사들의 칭찬을 많이 받았다.

떼를 쓰며 우는 아이들의 엄마들이 곤란해하는 모습은 병원에서 흔한 모습이었기 때문에 나는 우리 엄마가 그렇게 보이지 않길 바랐다. 그래서 나는 어린 어른이 되어야 했고, 나름 우리 엄마를 위해 그때 내가 할 수 있는 최선의 노력으로 꾹 참고만 있었다. 이 글을 쓰는 지금의 내 나이와 비슷했던 그때의 우리 엄마를 생각해보면, 아픈 아들에 대한 걱정과 우려로 사실 많이 무서웠을 텐데도 아들 앞에서 결코 흔들리거나 힘든 모습을 보이지 않으셨다. 서로서로 생각하며 의지했던 그때의 기억은 엄마와 아들을 서로 더 성숙하게 했던 날들이었을 거 같다.

엄마의

다음

생엔

어느 날 문득 어머니가 신세 한탄을 하셨다.

'나는 다시 태어나면 돌로 태어나고 싶다.'

왜냐고 물었다. 아무것도 안 하고 싶으시단다. 그냥
가만히 있고 싶다고.

부자가 되어 아무것도 안 하고 살 수 있지 않냐? 고
되물어도 그냥 인간의 삶 자체가 싫으신 건지 '그냥
아무것도 아니고 싶다'라고 하신다.

그래도 꼭 다시 태어나긴 태어나신다고 한다.

그냥 돌로.

그럼 나는 엄마 돌이 어디 험하게 구르지 않도록 밑
에 깔리는 흙으로 태어나야 겠다.

Multiverse of Mother

영화 「에브리씽 에브리웨어 올 앳 원스」 (2022)는 엄마에 관한 이야기를 다룬다. 멀티버스를 통해 모든 가능성의 여러 다중 우주의 어디에도 엄마와 자식의 관계는 결국 다르지 않다는 이야기를 해준다. 엄마라는 거대한 신화를 SF라는 장르를 빌어 잘 느끼게해준다. 사람들이 그 영화를 좋아하는 이유는 아마도 우리들의 엄마를 관통하는 이미지를 선명히 남기기 때문일 것이다.

이 영화 속에서 엄마와 딸이 두 개의 돌멩이로 존재하는 어떤 우주가 나타난다. 마치 내 글 속 마지막 이야기가 생각나는 이미지였다. 글을 먼저 다 써뒀는데 영화를 보고 나니 '아! 내가 먼저 썼는데!'라는 생각이 들었다.

우리 엄마는 왜 돌이 되고 싶었을까. 사실 나도 돌이 되고 싶긴 하다. 세상사가 피곤하고 아무것도 하고 싶지 않은 심리는 누구나 있다. 그래서 돌이 되고 싶다던 엄마를 충분히 이해한다. 분명 다른 어떤 우주의 엄마는 평온한 돌멩이로 존재할 거다.

'만약에'라는 쓸모없지만 즐거운 상상을 시작해보자. 우리 엄마가 만약 우리 아버지와 결혼하지 않았더라면? 만약에 우리 형만 낳고 나를 낳지 않았더라면? 내가 딸이었다면?

일단 아버지를 만나지 않은 엄마는 개인적으로 더 행복하셨을지도 모를 거란 생각이 든다. 아버지는 사랑꾼이 아니시다. 전형적인 옛날 아버지의 모습을 하고 계시다. '다시 태어나면 두 분 다시 만날 거냐' 물은 적이 있다. 한사코 거부하셨다. 굳이 또 그래야 하냐며 절대 안 그럴 거라면서 결혼을 안 할 거라고 하셨다.

존중하는 바이다. 한 번 해보셨으니 다른 기회에는 좀 더 간단하게 사셔야지. 그래도 나를 못 만나신 걸 후회 하실 거냐고 물어보고 싶었지만, 괜히 더 물어도 단호박 같은 엄마는 굳이 안 봐도 된다고 하실 거 같아서 내 마음이 다치지 않기 위해 더 묻지 않았다.

그럼 만약 내가 딸이었다면 엄마에게 조금 더 좋았을까. 함께 할 수 있는 게 더 많아져서 좋겠지만 동시에 더 다툼이 늘었을지도 모른다. 엄마 마음 이해를 제대로 못 해줘도 시커면 아들이라 포기하셔서 괜찮았던 것들이 분명 있을 테다. 그러니까 내가 딸인 저 먼 다른 우주의 엄마는 딸과 싸우느라 지금보다 더 피곤하실거다. 분명 겪어보시면 차라리 아들이 편하고 낫다고 말씀하실 거라 믿어 의심치 않는다.

그럼 엄마가 외동아들을 가진 가능성, 엄마에게 형만 있고 내가 없다면? 평소 엄마는 나에 관한 이야기를 형에게 물어보고 형에 관한 이야기를 나에게 물어본다. 혹시 부모에게 말하기 곤란하거나 고민되는 것들을 우리가 신경 쓸까 봐 그러신다. 결국, 더 많은 대화를 하기 위해선 아들은 두 명이 있는 게 무조건 더 낫다. 그리고 솔직히 형보단 내가 조금 더 살갑지 않은가. 이건 내가 장담하니까.

결국, 다른 어떤 우주의 모습보다도 지금 우리 엄마와 내가 있는 이 우주가 제일 나은 듯하다. 우리는 지금 가장 아름다운 우주에서 함께 지내고 있다고 생각한다.

마치며

우리 엄마는 그냥 우리 엄마라서가 아니라 꽤 멋진 분이다. 소녀 감성을 가졌지만 대인 관계도 좋고 일도 곧 잘 해내시는 모습들을 봐와서 인간적으로도 매우 존경하는 분이다. 마냥 여유롭지 않은 우리 집 사정에서도 살림을 잘 꾸리셨고, 두 아들을 잘 키워내셨다. 지나치게 이성적인 나에게도 유일한 눈물 버튼은 엄마라는 단어다. 미안함과 고마움, 무한한 사랑의 의미를 종합적으로 표현할 수 있는 유일한 말이다.

얼마 전에 한번은, 엄마와 이런저런 이야기를 하고, 나오는 길에 정말 오랜만에 한번 꼭 안아본 적이 있다. 그냥 아직도 안정화 되지 못한 아들을 묵묵히 기다려주고 계신 엄마가 너무 고맙고 미안해서 그랬다. 그땐 내가 힘을 얻고 싶어서 그랬는데 사실 더 큰 미안함이 찾아왔다. 왜 엄마는 늘 그 자리에서 나에게 온정만 주시고 계시는 걸까. 왜 나는 그에 보답하지 못하는가. 답답하고 속상했다.

그런 마음들을 모아서 이 책을 작업했다. 기왕이면 웃긴 얘기도 먹먹한 얘기도 모두 담아 보고 싶었다. 단순히 역사를 정리하는 것은 아니었고, 만나면 늘 웃음 짓지만, 또 마음 한편이 아려오는 엄마라는 사람을 오랜만에 만나는 듯한 순간처럼 이야기를 엮어 보려 했다. 엄마와 나 사이의 이야기지만 이 마음과 생각들이 단순히 우리에게만 한정되진 않은 것 같다. 적어도 우리 형이 느꼈고 아버지도 느꼈을, 부모와 자식 간의 자연스러운 감정일 것이다. 중간중간 글들을 다른 사람에게도 피드백 받고자 보여준 적이 있다. 그들도 자신의 엄마를 생각해냈다. 우리 엄마도

이 책을 보고는 나뿐만 아니라 엄마의 엄마, 외할머니도 생각났으면 한다.

사실 뭐 자식이 부모 마음을 어떻게 다 헤아리겠는가. 내가 부모가 되고 자식을 길러보아야 공감이나마 할 수 있을 것이다. 그전까지는 괜히 다 아는 것처럼 설쳐대는 것보다는 모른 체하며 살 수밖에 없다. 언젠가 내가 아버지가 되고 나서 아버지에 관한 글도 한번 써보고 싶다. 물론 엄마보다는 애정이 부족하니 쉽진 않겠지만. 그리고 마지막이니

사..
사..
사.. 실 더 해야할 말들이 있지만 그건 엄마와 직접 만나서 하도록 하자.

엄마 사

랑해요

*참고로, 군복무 중인 방탄소년단(BTS) 제이홉(본명 정호석)이 부모에게 보내는 손편지를 공개했다. 편지에는 '엄마 아빠 사랑해요'라는 문장이 단호한 글씨체로 적혀있었다. 그리고 심수봉의 노래 「엄마 사랑해요」는 '너무나 보고싶어요 엄마의 행복한 모습을요'로 시작해서 '나도 뒤따라가요 우린 영원한 한몸이니까요'로 끝난다. 국민의 알권리 차원에서 밝힌다. (편집자)

북토크를 마치고

수박와구와구

완성되지 않은 책으로 북토크를 하고 말았다. 아직
완성되지 않은 3kg에 불과한 인간도 겨우 태어났다
는 이유만으로 축하한다는 말을 듣는 세상이니, 그러
려니 하는 마음으로 쥬비했다. 작가가 직접 운영하는
서점에서 출판사와 독자들이 모여 책 이야기를 나누
었다. 미완의 책을 축하해주러 온 감사한 분이 열 명
이나 되었다. 소박하고 행복했던 행사는 당연한 결론
을 다시 한번 깨닫게 해주었다.

책은 독자가 완성한다.

북토크는 김해에 있는 독립서점 「냉장서고」에서
진행했다. 과일과 함께 시작한 출판사라 그런지, 백
색가전 서점에서 진행하는 북토크가 제 옷을 입은 것
마냥 편안했다. 가제본만 만들었지만 얼른 사람들에
게 소개하고 싶은 마음도, 정원 속에 지어진 독립서

점을 응원하고 싶은 마음도 아주 없지는 않았지만, 본심은 따로 있었다.

김해시 봉리단길의 한 골목에 들어서면, 아직 정원에 발을 딛기도 전에 고양이 세 마리가 달려나와 맞이한다. 마당 한켠에는 독립서점이 민트색의 청량한 철판을 자랑한다. 서점지기와 건성으로 인사하고 북토크를 준비한다. 책과 종이, 미니북 표지, 카드, 펜과 칼 등을 배치하는 와중에도 고양이는 자신의 역할을 잊지 않는다. 고양이의 가장 중요한 역할은 인간에게 자신을 보여주는 거다. 마치 편백나무에서 피톤치드가 나와서 스트레스를 감소시키듯이, 고양이를 발견한 인간은 이상한 소리를 지르며 카메라를 들게 되고 이 과정에서 스트레스가 감소한다.

이 책의 작가이기도 한 서점지기는 이날 처음으로 가제본을 보았다. 원래 미리 보여줘야 했는데 저번에 까먹고 안 가져왔다. 북토크 당일에야 죄송한 마음과 함께 보여줬다. 두근두근 가슴이 뛴다. 내 취향대로 만들었기 때문에, 작가는 좋아할까, 독자들은 어떻게 볼까, 하는 걱정이 고양이처럼 앞다투어 달려든다.

사람들이 하나둘 모여들고 고양이도 근처에 자리 잡았다. 같이 책을 읽어보고 마음에 드는 문장을 꼽고 이야기를 나눴다. 이 책이 어떻게 만들어졌는지, 숨겨진 이야기도 풀었다. mopo 작가의 글이 얼마나 매력적인지 설명하려 했는데 잘 전달이 되었나 모르겠다(잘 전달되지 않았다고 당시 진행자였던 꽃기린이 친절하게 알려주었다).

함께 나누었던 이야기를 요약하자면 아래와 같다.

어머니의 직업이 굉장히 많이 바뀌었고 은퇴 후에도 많은 걸 배우고 있음. 나도 뭐든 해내야 할 것 같다는, 어머니 앞에서 핑계를 대지 못할 것 같다는 생각이 들었다고.
너는 잘할 수 있을 거라는 이야기만 해주고 방목형으로 자람. 무조건적 지지는 자존감 향상에 도움이 된다.
(물론 너무 사랑하지만) 엄마처럼 살지는 말아야지.
엄마를 전혀 이해하지 못하고 살았는데 지금 와서 보니 나도 엄마랑 똑같다는 걸 깨닫는 중.
시간적 정신적 여유도 없는데, 손이 많이 가는데도, 딸과 함께 칼국수랑 만두를 그렇게 많이 만들어 먹음. 왜 그렇게 만들어 먹었는지 물어봐야겠다.
이탈리아에서 옷을 빨고 말리느라 모녀가 맨몸으로 이불속에서 자야했던 기억.

엄마가 뭐라 말도 안 하고 그냥 사진만 덜렁 보내는데, 자동차세나 과태료 납부하라는 고지서 사진.

매우 감성적인 어머니와 매우 이성적인 딸.

너희가 행복할 때 나도 행복하다고 말하는 엄마.

누가 주지 않아도 셀프 선물을 즐기는 엄마.

어머니에게 마음껏 쓰시라 카드를 드렸지만, 예상치를 뛰어넘는 가방 소비를 한 엄마.

엄마는 거울 같아서, 나 자신과 대면하고 싶지 않은 마음에 자주 들여다보지 않는다.

아들이 더 이상 일을 벌이지 않길 원하는 엄마. 그 바람을 알지만 이뤄드릴 수 없는 아들.

아낌 없이 주는 나무 같은 엄마.

영탁 노래나 김호중 영상을 틀면 행복해하는 엄마.

귀여운 그릇을 좋아하는 엄마.

이제 운전할 수 있게 되어서, 엄마를 데리고 엄마의 엄마를 보러간 게 엄마에게 주는 선물이었다.

즐거운 북토크를 만들어준, 10명의 참여자, 쩍쩍님, 포로리님, 멍님, 구마님, 차차님, 찐찐이님, 태경님, 상균님, 둥이님, 다정님에게 감사를 표한다.

· 엄마는 행복할까요.

· 엄마의 연애담을 알고있나요?

· 엄마가 다시 어린 시절로 돌아간다면?

· 만약 내가 바퀴벌레가 된다면, 엄마는?

· 우리 엄마가 다른 엄마와 다른 점이 있나요?

· 엄마의 별명을 적어주세요.

· 엄마와 정말 맞지 않는 부분이 있나요?

· 엄마와 관련된 재미있는 에피소드를 적어주세요.